CW00868470

Le souhait du bébé panda

Ecrit par Angie Flores
Illustrations par Yidan Yuan
Edité par Alana Marie Garrigues
Traduction par Paul Andrew DeLane
Edité en français par Sophia Young

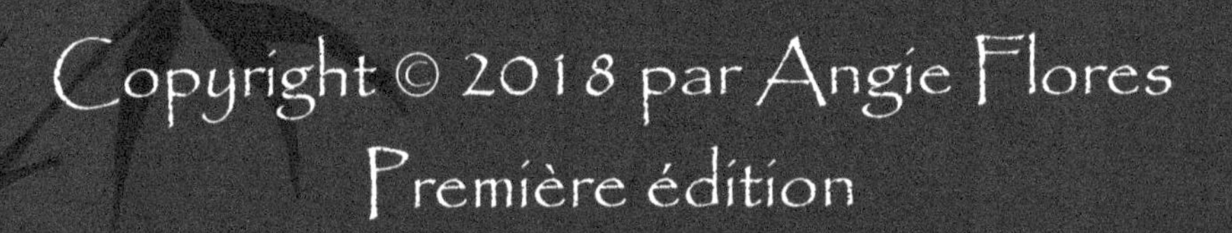

Première édition

ISBN 978-0-9979738-3-9

Le souhait du bébé panda

Dédié à mon mari et 3 petits oursons, à ma famille et mes amis.
Puissiez-vous ne jamais cesser de songer et de réaliser vos rêves.

- Angie

Dédié à ma famille et à tous mes amis qui m'encouragent à poursuivre ma passion pour l'art. Je ne pourrais pas réaliser tout cela sans vous.

- Yidan

Dédié à ma chère sœur Evelyne Barriere et à mon amie inspiratrice Angie.
Puisse ceci être notre premier 'Rêve, Planifier et Exécuter' parmi beaucoup d'autres à venir

- Paul

Les étoiles brillaient particulièrement ce soir-là alors que la lune lançait un éclat bleu sur la forêt de bambous.

Papa et son bébé panda étaient en promenade pour profiter de la beauté du ciel nocturne.

Ils trouvèrent une belle colline sur laquelle s'asseoir pour regarder les étoiles.

Un scintillement éblouissant attira l'œil de le bébé panda.

"Papa, pourquoi cette étoile est-elle plus brillante que les autres?"

Papa sourit à l'éclat de l'étoile: "Pourquoi? Parce que c'est une étoile qui réalise les voeux, Ourson. Vas-y, fais un vœu! Si l'étoile estime que ton souhait vaut la peine d'être accordé, alors à l'aide de ses pouvoirs magiques, elle le fera devenir réalité!"

Le bébé panda écarquilla les yeux tellement il était excité. Il sentit des frissons parcourir son ventre à la pensée que l'étoile lui accorderait un souhait.

Mais que souhaiterait-il?

Papa regardait le bébé panda tout en réfléchissant.

“Papa?”, demanda le bébé panda,

“Dois-je souhaiter être un super-héros? Je pourrais nous protéger des méchants et aider les amis en difficulté?”

Papa rit et dit: “Tu pourrais, Ourson, mais tu n’aurais pas grand chose à protéger. C’est assez calme dans la forêt.”

Le bébé panda pensa que papa avait raison. Tout était plutôt paisible dans la forêt et tout le monde s’entendait bien.

“Papa, devrais-je souhaiter être très riche? Je pourrais posséder tous les bambous et être le roi de la forêt!”

Papa ricana. “Nous avons déjà plus de bambous que nous ne pouvons manger. Avoir plus serait du gaspillage.”

Le bébé panda savait que Papa avait raison. Il y avait assez de bambous pour cent mille pandas et personne n’aurait jamais faim.

Faire un voeux à une étoile était difficile.

Le bébé panda voulait être sur

que tout ce qu'il souhaiterait

serait accordé.

Alors il regarda l'étoile et continua
à réfléchir. Du coin de l'œil, le bébé
panda pouvait voir son papa qui avait
comme une étincelle dans les yeux.

Le bébé panda se leva.
"Papa, devrais-je souhaiter être un
robot avec des boutons étincelants
et des lumières brillantes? Si j'étais
un robot, je ne me lasserais jamais et je
pourrais rester debout toute la nuit."

Le bébé panda commença à
marcher comme un robot:
"Bee bop bee boop bing bing!"

Papa rit et applaudit la performance
de le bébé panda: "Et bien, Ourson,
ça a l'air de t'amuser! Mais étreindre
une boîte de métal ne serait pas aussi agréable
que de serrer ta douce fourrure!"

La lune se leva plus haut dans
le ciel alors que le bébé panda
était perdu dans ses pensées.

Que pouvait-il souhaiter d'autre?
Il pensa à sa maison dans la forêt,
confortable et remplie de toute la
nourriture dont il avait besoin.

Il aimait les câlins chauds de sa
maman et de son papa et avait
beaucoup d'amis avec qui jouer.
Il semblait avoir tout ce qu'il
pouvait vraiment demander.

“Papa, que souhaiterais-tu, toi?” Demanda le bébé panda.

Papa regarda le bébé panda et sourit: “Mon souhait serait de toujours me sentir aussi heureux que je ne le suis maintenant!”

Le bébé panda pensait
que c'était parfait.
"Papa, peut-on partager
ce souhait?" Demanda
le bébé panda.
Papa sourit et acquiesça.

Le bébé panda leva les yeux vers le ciel, se concentra sur cette étoile magique et dit:

"Je souhaite que je puisse toujours être aussi heureux que je le suis maintenant."

Le bébé panda entra et
serra son papa très fort.
Celui-ci l'embrassa.
"Tu vois", murmura-t-il,
"le souhait de mon bébé
panda devient réalité."

Lightning Source UK Ltd.
Milton Keynes UK
UKHW050353280820
368926UK00005B/95